Econo**mía**

¿Qué es el dinero?

LA COLECCIÓN JOVEN DE ARTES DE MÉXICO

Libros del Alba

Título original: *Tu guía de economía.*

Economía ¿Qué es el dinero?
Artes de México, 2007
Primera edición

Edición: Margarita de Orellana
Coordinación editorial: Gabriela Olmos
Diseño original: Gabino Flores
Formación: Yarely Torres
Corrección: María Luisa Cárdenas, María Palomar

D.R. © Del texto: Andrea Ruy Sánchez y Gabino Flores, 2007.
D.R. © De las ilustraciones: Alejandra España, 2007.

D.R. © Artes de México, 2007
      Córdoba 69, Col. Roma, 06700, México, D.F.
      Teléfonos 5525 5905, 5525 4036
      www.artesdemexico.com

D.R. © Consejo Nacional para la Cultura y las Artes /
      Dirección General de Publicaciones /
      Coordinación Nacional de Desarrollo Cultural Infantil, 2007
      Paseo de la Reforma 175, Col Cuauhtémoc,
      06500, México, D.F.
      www.conaculta.gob.mx

Como libro en encuadernación rústica:
ISBN 970-683-267-X, Artes de México
ISBN 978-970-683-267-2, Artes de México
ISBN 970-35-1296-8, Consejo Nacional para la Cultura y las Artes
ISBN 978-970-35-1296-6, Consejo Nacional para la Cultura y las Artes

Como libro en pasta dura:
ISBN 978-970-683-285-6, Artes de México
ISBN 970-35-1297-6, Consejo Nacional para la Cultura y las Artes
ISBN 978-970-35-1297-3, Consejo Nacional para la Cultura y las Artes

Impreso en China

EconoMía
¿Qué es el dinero?

Andrea Ruy Sánchez $ **Gabino Flores**
Ilustraciones de **Alejandra España**

ARTES
DE MÉXICO

Consejo Nacional
para la
Cultura y las Artes

Alas y Raíces a los Niños

Índice

Introducción

¡**Hola!** Soy tu guía de economía y me encantaría que me acompañaras en una maravillosa aventura a través de los **conceptos económicos.** Aunque pienses que es algo muy complicado, te voy a mostrar lo fácil y divertida que puede ser la economía. Aquí **responderemos las preguntas** que otros niños como tú se han hecho y que ni sus papás han sabido cómo responderles de una manera sencilla y entretenida. Vamos, **atrévete a aprender** algo nuevo. Tú también eres capaz de entender el mundo de los adultos, sólo tienes que proponértelo **y leer con mucha atención.**

¿Qué es la economía?

La economía, aunque no lo creas, es una **ciencia social** que está todo el tiempo a tu alrededor, ya que **estudia tu comportamiento**, el de toda la sociedad y hasta el de los países. Esto es así porque, desde el momento en que te levantas hasta cuando apagas la luz de tu cuarto para dormir, tienes que tomar muchas decisiones. Te explico: debes escoger entre toda tu ropa si quieres usar la camiseta azul o la blanca, los pantalones de mezclilla o los de lana; cuando vas a la tiendita tienes que elegir entre todas esas sabrosas golosinas para comprar las que más te gustan y también debes decidir si prefieres comprar un refresco o un jugo, con tu domingo, para acompañarlas. Todas estas **decisiones**, y muchas otras más, son las que los economistas estudian para entender el proceso por el cual se toman las decisiones. Si continúas leyendo esta guía, te irás dando cuenta de todo lo que abarca la economía y entenderás mejor su definición.

INFÓRMATE

¡EXTRA!

¡EXTRA!

a partir del 2007, interpongan diversos
recursos jurídicos en contra del incremento de 3.9 por ciento a los salarios mínimos,
que en los hechos significa un alza máxi-
ma de un peso 90 centavos a los 48.67
pesos que en promedio se paga actualmen-
te por jornada laboral en la zona A.

La tarde del próximo sábado, los inte-
grantes del movimiento se concentrarán
en el mismo sitio para continuar con su
lucha legal en contra de las

taló un "sitio de honor" para exhibir los
logros del sexenio de los mexicanos, prin-
cipalmente los deportistas.

De acuerdo con una solicitud de infor-
mación en la que se requirió "el gasto
hecho por la Presidencia en la compra de
libros para el acervo de la Biblioteca Presidencial en el sexenio 2000-2006, des-
glosando gastos anuales y con la lista de
los libros comprados también anualmen-

pais y en contra de
co e irrisorio del salario mínimo ...
temente aprobado por el gobierno federal
panista a través de la Comisión Nacional
de Salarios Mínimos (CNSM).

El dirigente del movimiento social con
presencia nacional –que nació luego de la
que se dio a conocer "el fraude electoral
en contra de la candidatura presidencial

debate sobre la re   *legislativa*
México.

Entre el listado destacan las breves h...
torias de la bandera mexicana y de la prác-
ca, así como los títulos de *Las Repúbl*
dades económicas, La conquista espiri-
tual de México, Historia de la cultura,
Historia de la Iglesia católica, Los nue-
vos medios de comunicación, En las fron-
teras de la democracia, Gobernabilidad,
crisis y cambio, Corrupción y cambio, El
gran gobierno, un acercamiento desde los
programas gubernamentales y dicciona-
rios de ética y filosofía.

Hasta finales de 2006 existen
21 permisos otorgados para pro
ducción independiente, de lo
cuales 20 estarán en operación
con una capacidad autorizada
11 mil 478 MW y el resto
encuentra en construcción.

Es importante destacar
todos los proyectos autoriza
en los permisos de produc
independiente operan con te
logía de ciclo combinado
zando gas natural. Esta

¿Por qué es importante conocer la economía?

Saber acerca de la economía es muy importante, ya que así **sabrás elegir lo que más te conviene** y sacarás el mejor provecho a tus decisiones. Además, si entiendes cómo funciona la economía, verás el mundo con otros ojos —y no me refiero a los ojos de alguien más, sino que al estar **mejor informado** de los temas que estudia esta ciencia social **podrás entender mejor la sociedad** en la que vives y lo que sucede a tu alrededor.

También, al saber sobre economía, podrás ser un **ciudadano bien informado**, pues entenderás las frases acerca de la exportación, la producción o el ahorro que publican en los periódicos y podrás explicárselas a tus hermanos o incluso a tus papás. Y cuando llegue el día en que puedas votar, sabrás si lo que prometen los candidatos puede cumplirse o no, y serás capaz de elegir estando bien informado.

Y por último porque, así como se relacionan los individuos y la sociedad, lo hacen también los países. Si conoces la economía, podrás **entender muchas cosas que suceden en el mundo**. Suena bien, ¿no?

11

¿Quiénes son los actores en la economía?

¡**L**os **actores** en la economía **somos todos**! Sin embargo, la sociedad se organiza en grupos que dependen el uno del otro según la función que desempeñan.

El primer grupo se integra por **las familias**, pero no en el sentido en que estás acostumbrado a considerar a tu familia, desde la bisabuela de noventa años hasta tu hermanito que aún gatea. En este caso, son todas las personas que viven bajo un mismo techo, quiero decir, en la misma casa.

Las empresas forman el segundo grupo. Son organizaciones que producen todas las cosas que se pueden comprar: los dulces, la ropa, los coches o los libros; cualquier cosa que se venda en una tienda la produjo una empresa. Y para realizar sus productos, las empresas dan trabajo a las familias a cambio de un salario, es decir que les pagan cierta cantidad de dinero.

El tercer grupo es **el gobierno**, que también le da trabajo a algunas familias, pero en lugar de vender productos —como las empresas—, ofrece bienes y servicios públicos que ayudan a todas las personas, a cambio de que las familias y las empresas paguen un impuesto o una cuota. Por ejemplo, las calles y las avenidas de tu ciudad fueron construidas por el gobierno con el dinero recaudado de los impuestos.

El **sector externo** es el último grupo de los actores económicos y representa a las economías del resto del mundo. Así como hay familias mexicanas que pueden comprar quesos franceses, también hay familias francesas que pueden comprar el tequila que se produce en México. Qué increíble tener tantas opciones, ¿no crees?

¿Cómo se divide la economía?

Como te podrás dar cuenta, la economía es muy amplia. Por eso, para estudiarla con mayor precisión, los economistas la clasifican en **dos partes**. Una es la **microeconomía**, que estudia las **decisiones individuales** de las personas, las familias y las empresas; la otra es la **macroeconomía**, que estudia las **relaciones** y decisiones de todos los actores de la economía como un solo conjunto a **escala nacional**.

Estos términos parecen ser muy complicados, o por lo menos así suenan, pero no lo son si imaginamos, por ejemplo, un gran bosque habitado por miles de árboles: en cada uno de estos árboles vivirían distintos animales, como ardillas o búhos, que tendrían que establecer una relación entre ellos y con las plantas a su alrededor para poder vivir. En este caso, la microeconomía estudiaría las relaciones individuales de cada habitante del bosque, por ejemplo, por qué las ardillas deciden comer las bellotas del árbol en el que viven o por qué los búhos deciden tener su nido a la sombra de un gran pino, mientras que la macroeconomía estudiaría el resultado global de las relaciones de todos los miembros del bosque.

¿Qué son los bienes y los servicios?

Cuando una persona está dispuesta a gastar su dinero para satisfacer sus necesidades, generalmente lo hace para recibir a cambio bienes o servicios.

Los bienes son todo lo que la población produce para el consumo, son aquello que satisface las necesidades de los compradores. Si te paseas por un mercado, verás a tu alrededor una multitud de bienes que puedes consumir en tu casa: fruta, verdura, carne, pescado, o también artículos para el hogar, juguetes, productos de limpieza, etcétera. Bueno, para no hacerte el cuento largo, te explico que los bienes son todas **las cosas o los objetos que se pueden comprar.** Hasta los más grandotes, como una casa o un avión, son bienes.

En cambio, **los servicios** no son cosas, sino **acciones.** Son **las actividades que realizan las personas** a cambio de que les pagues. Por ejemplo, cuando un coche rechina y hace unos ruidos rarísimos, se dice que lo van a llevar al servicio; esto es así porque un mecánico especialista en coches es el único que puede armarlos o desarmarlos, acostarse en una tabla y deslizarse por debajo, sólo para salir manchado de aceite hasta los cachetes y decir: "a mí se me hace que le están fallando los frenos".

Para que me entiendas mejor, **los bienes son cosas**, como un teléfono celular o un tostador; los puedes tocar. **Los servicios no se pueden tocar y son invisibles porque son acciones**, como lo que hace un peluquero, un masajista o un mecánico.

¿Qué es la escasez?

No puedes negar que todas **las personas tienen muchas necesidades** en la vida, tales como su alimentación o tener una casa donde vivir; afortunadamente existen varias formas de satisfacer esas necesidades. Por ejemplo, si una casa cuenta con dos pisos, cuatro habitaciones y tres baños, es porque cada uno de los miembros de esa familia necesita un cuarto donde dormir y un baño donde ducharse cada mañana antes de ir a la escuela o al trabajo. Sin embargo, una familia de dos personas puede vivir muy bien en un departamento que cuente con una habitación y un baño, porque no necesita más espacio. Claro que también hay casos en los que una familia no muy numerosa puede vivir en una casa muy grande, esto depende de los gustos y de las posibilidades de cada familia.

Así como tienes necesidades, **también puedes tener deseos**. La diferencia es que **los deseos no son indispensables para tu supervivencia**; más bien, son las cosas que nos gustaría tener, como un perro o el más reciente juego de mesa. El problema es que **a menudo no podemos satisfacer nuestros deseos**, ya sea porque tu mamá es alérgica a los perros o porque no le alcanza el dinero para comprarte el juego de mesa. No poder satisfacer tus necesidades o tus deseos porque son ilimitados, y los recursos que tenemos son limitados, se llama escasez. **La economía estudia las decisiones que tomamos cuando nos enfrentamos a la escasez.**

¿Qué es el costo de oportunidad?

¡Qué maravilloso sería poder jugar con tus amigos de la escuela a las escondidillas en el parque y al mismo tiempo ver tu película favorita comiendo palomitas en la sala de tu casa! Pero ni modo, nadie puede estar en dos lugares al mismo tiempo; por eso, tienes que elegir entre los deseos que tienes, porque **tu tiempo tiene un límite y también lo tiene tu dinero**. Cuando utilizas tu dinero para comprar un helado estás perdiendo la oportunidad de comerte un delicioso churro con cajeta; en este caso, los economistas dirían que tu costo de oportunidad es no comer el churro. En pocas palabras, el **costo de oportunidad** significa que **siempre que elijas algo estarás sacrificando otras cosas**, y no sólo lo que tiene que ver con el dinero, sino también con las acciones, ya que si decides ir a jugar con tus amigos de la escuela, tu costo de oportunidad será no poder ver tu película favorita en tu casa. ¿Me explico?

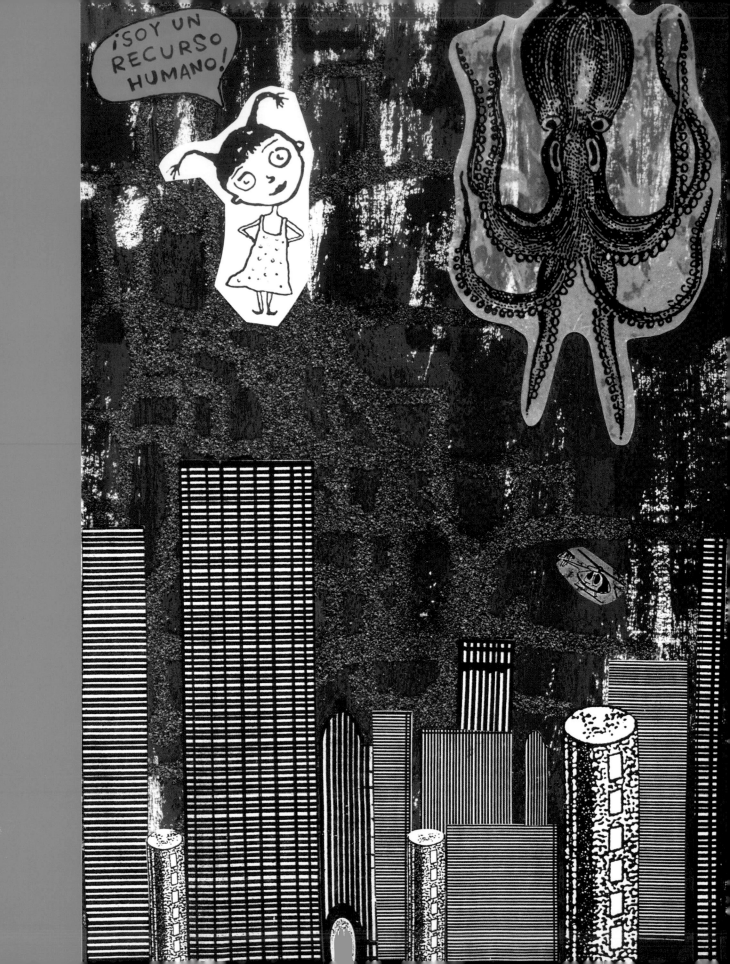

¿Qué es la producción y qué son los recursos?

A lo largo de tu vida has crecido rodeado de cosas, desde los juguetes de peluche hasta la casa en la que vives, pero normalmente es difícil que te detengas a preguntarte **quién hizo las cosas que te rodean y cómo las hizo**. Sin embargo, aunque no te lo preguntes, todas **las cosas a tu alrededor pasaron por un proceso** por medio del cual **las empresas transformaron los recursos en cosas útiles para la sociedad**. A este proceso se le llama **producción** y sus principales actores son las empresas. Ya sea que realicen sus productos en fábricas o uno por uno a mano, el objetivo de las empresas será convertir los recursos en todas las cosas que necesitamos.

Pero entonces, **¿qué son los recursos?** Los recursos **pueden ser producto de la naturaleza**, como la tierra, el agua, la flora, la fauna y los minerales. También existen otro tipo de recursos que son los **bienes de capital**. Éstos incluyen edificios, equipos de construcción, puentes, carreteras, medios de transporte e incluso el escritorio en el que estudias. Finalmente, los **recursos humanos** son todos los que se refieren al trabajo, las destrezas y los conocimientos de las personas. Todos estos tipos de recursos se combinan y son transformados por las empresas para crear bienes y servicios que satisfagan las necesidades y los deseos de la sociedad.

¿Qué son los precios?

Hay personas que piensan que el precio de algo está en la etiqueta que trae pegada, esa que indica cuánto cuesta el objeto que se quiere comprar. Por eso en el supermercado, cuando le falta la etiqueta a algún producto, se dice que no tiene precio; entonces mandan a alguien a que traiga otro objeto igual, pero que sí tenga la dichosa etiqueta. Sin embargo, **todos los bienes y los servicios tienen un precio**, ya sea que esté o no indicado con una etiqueta.

Lo más importante que debes entender es que **el precio es aquello que nos indica el valor de las cosas**. Sin embargo, seguramente has oído hablar de que los bienes y los servicios tienen un precio caro o barato; esto se refiere a que el valor que se les asigna puede variar dependiendo de quién los vende y dónde los vende. Por ejemplo, en la tiendita de la esquina de tu casa venden tus yoyos favoritos a diez pesos; éste es su precio. Pero si fuiste a casa de tu mejor amigo y viste que en la tiendita cerca de ahí los venden a veinte pesos, podrás decir que su precio es más caro en relación con el precio al que los venden cerca de tu casa. Por el contrario, si en la tiendita que está a una cuadra de la casa de tu abuelita los encuentras a cinco pesos, quiere decir que tienen un precio más barato en relación con las otras tiendas. Claro que si encontraras una tienda que vende yoyos a setenta pesos, sabrías que tienen un precio que no corresponde con el valor del juguete que quieres comprar y, por eso, no lo comprarías. El señor de la tiendita que ofrece los yoyos a setenta pesos, al no poder venderlos, tendría que bajar el precio para que se los compraran. Finalmente, podemos decir que **el precio de un bien o un servicio refleja lo que la gente está dispuesta a pagar por él**.

¿Cómo surge el intercambio?

El intercambio surge porque una **sola persona no puede satisfacer todas sus necesidades y deseos**. Por eso, **es indispensable vivir en sociedad**, para que a través del intercambio cubramos todas nuestras necesidades.

Imaginemos que una persona tiene suficiente capacidad para cazar y cocinar su comida, fabricar hilos y tejer su ropa, talar árboles para construir una casa y sus muebles, sembrar y cosechar maíz para después hacer tortillas. Aun en el caso de que esta persona tuviera todas estas destrezas, no contaría con el tiempo suficiente para aplicarlas y satisfacer todas sus necesidades. Seguramente por haber dedicado todo el día a cortar leña, convertirla en tablas, ensamblarlas y finalmente construir con ellas una de las paredes de su casa, no habría podido ir a cazar o a recolectar maíz, mucho menos habría podido cocinar, ni haber hecho tortillas para acompañar su comida. ¡Estaría metido en un gran lío! Por eso, en la sociedad **las personas se dedican únicamente a un oficio, para así poder intercambiar** con otros miembros de la sociedad los bienes y servicios que su oficio produce. Hasta para hacer un zapato **es mejor si cada quien hace una parte** de él: **eso se llama división del trabajo.** Si una persona se dedica a desarrollar una sola de sus destrezas, podrá **producir bienes y servicios de mayor calidad**, así como también **beneficiarse de lo que ofrece el resto de la gente**. Los economistas llaman a **las actividades que realizamos mejor que otras**, gracias a nuestras habilidades o a nuestra práctica, **ventaja comparativa**.

¿Qué tipos de intercambio han existido?

Como te podrás imaginar, el ser humano ha recurrido a intercambiar sus bienes y servicios desde hace muchos años entre las personas y entre los países.

La primera forma de intercambio que existió fue **el trueque**: un individuo ofrecía bienes y servicios a cambio de los bienes y servicios de otra persona; para concretar el trueque, **ambas personas tenían que estar de acuerdo en que se beneficiarían con el intercambio**. Cuando una persona que producía huaraches tenía hambre, ofrecía al agricultor unas sandalias de cuero a cambio de unas mazorcas de maíz, siempre y cuando el agricultor estuviera de acuerdo. Algunos bienes se convirtieron en cosas que la gente comenzaba a cambiar por cualquier otro bien en cualquier lugar. Con estos objetos nacía un primer equivalente general, es decir, aceptado por todos.

Entonces **se usaron en estos intercambios objetos que fueran valiosos para todos y que fueran relativamente escasos**, como las especias y el cacao, a cambio de bienes y servicios; pero como estos objetos no eran duraderos, se sustituyeron por metales resistentes. Cuando se les dio forma a estos metales se originaron **las monedas** y sólo fue cuestión de tiempo para que se inventaran después **los billetes**.

El dinero agilizó y facilitó el intercambio, ya que obligaba a las personas a establecer un precio por los bienes y servicios que ofrecían, de manera que cualquiera que tuviera el dinero suficiente para pagarlo, los podía adquirir.

¿Qué son la importación y la exportación?

Estoy seguro de que has escuchado alguna vez estos términos. Déjame ver, qué tal en Navidad cuando un empresario se pone muy contento porque se exportaron los pavos de su rancho a una empresa de Estados Unidos; o tal vez cuando la mamá de tu mejor amigo compró unas salchichas de importación muy sabrosas. Pues te explico: cuando México vende a otro país los bienes y servicios que producen sus empresas, está realizando una **exportación**; pero cuando compra bienes y servicios producidos en el extranjero, está haciendo una **importación**.

Nuestro país tiene una **economía abierta**. Esto quiere decir que mantiene relaciones económicas con otras naciones para satisfacer las necesidades de las familias y empresas mexicanas. O sea, recibe dinero extranjero al exportar todos los bienes y servicios en los que se especializa, pero también las familias y las empresas mexicanas se benefician al importar, porque hay más diversidad de bienes y servicios disponibles dentro del país. De esta manera, México participa en el comercio internacional.

El tequila, el petróleo, la cerveza y la plata son muy conocidos en el extranjero porque son los principales productos que México exporta. Sin embargo, también se exportan algunos productos que no se producen dentro del país, sino que únicamente se ensamblan, tales como automóviles, teléfonos celulares, ropa, computadoras, etcétera.

¿Qué son la oferta y la demanda?

¿**D**ónde habrás escuchado estas palabras antes? ¿Será en los centros comerciales, donde se dice que hay excelentes ofertas?

En un sentido literal, la oferta se refiere a lo que se puede dar u ofrecer, para satisfacer las necesidades de los demás; la demanda es lo que la gente pide a partir de lo que necesita o quiere. **La oferta es la cantidad de bienes y servicios que los vendedores quieren y pueden vender en el mercado a un precio determinado, en un periodo de tiempo específico.** Mientras que **la demanda representa toda la cantidad de bienes y servicios que la gente está dispuesta a comprar, dependiendo del precio al que se les ofrezcan.** En la práctica, un vendedor siempre va a querer vender sus productos al mayor precio posible. Pero el comprador siempre buscará comprar algo por el precio más barato.

Cuando hay muchas personas que quieren adquirir cierto bien o servicio, los vendedores pueden establecer un precio más alto. Ya que cuando la gente quiere mucho obtener algo, estará dispuesta a pagar un precio más caro por ello. Sin embargo, cuando existe un bien o servicio que las personas no buscan, los vendedores bajan los precios para que la gente vuelva a comprarlo. **Cuando los vendedores y los compradores llegan a un acuerdo sobre el precio de una mercancía, se dice que establecen el precio de equilibrio.**

Por ejemplo, a todos los niños les gustan los mangos con chile, que cuestan cada vez más. Su precio tiende a subir porque los niños los siguen comprando. Sin embargo, los productos que los niños compran menos suelen tener precios más bajos.

33

¿Por qué se mueven los precios?

Como ya sabes, el precio de las cosas cambia dependiendo de algunos factores, como la escasez, el lugar donde se vende cada producto y quién lo vende. Sin embargo, incluso en la misma tienda, **el precio de algún producto puede cambiar.** Digamos que no está fijo todo el tiempo, sino que está en constante movimiento.

¿Has notado alguna vez que tu mamá regresa del supermercado muy enojada porque subió el precio de la leche? Si ella se enoja es porque ahora puede comprar menos leche con la misma cantidad de dinero.

Pero **¿por qué suben o bajan los precios de las cosas?** En realidad es muy sencillo entender esto. Nada más imagínate que una tarde tu papá te regala una gran bolsa llena de pequeños pero muy dulces caramelos. Viendo televisión comes hasta más no poder y aun así, a la mañana siguiente, notas que sobra más de la mitad de la bolsa de dulces. Al ver que aún te quedan tantos, decides llevarlos a la escuela y regalarle uno a cada compañero del salón. Si, además, quieres vender algunos, su precio será bajo porque hay muchos. Pero ¿qué pasaría si a la semana siguiente tu papá en lugar de regalarte una bolsa te regalara únicamente cinco caramelos? Probablemente te comerías sólo algunos mientras ves televisión, para guardar dos y saborearlos al día siguiente en el recreo. En este caso sería mucho más difícil regalarle uno de los dos caramelos que te sobran a algún compañero. ¿A cuál de todos se lo darías? Probablemente no faltaría alguno que te ofreciera algo a cambio con tal

de que le des el caramelo a él. Y su precio sería mucho más alto que cuando tenías una bolsa llena.

O, por ejemplo, en Navidad, cuando todos nos damos regalos, los precios de los juguetes suben. Y es que si las tiendas tuvieran precios tan bajos como siempre, los juguetes no alcanzarían para todos aquellos que quisieran regalarlos a los niños.

Esto es así porque cuando **un producto es más abundante**, como la bolsa llena de dulces o los juguetes de Navidad, **su valor tiende a bajar** y por eso también baja su precio. Pero **cuando un producto es escaso su valor sube** y, por lo tanto, su precio junto con él.

Te doy otro ejemplo para que no te confundas: si una gran tormenta destruyera una cosecha entera de piña, los agricultores enviarían muy pocas piñas al mercado y cada una costaría mucho más de lo que costaba anteriormente, puesto que las piñas se volverían un bien escaso y su valor aumentaría. En cambio, si el agricultor obtiene una excelente cosecha de piñas y manda al mercado cuatro veces más piñas de lo normal, entonces éstas serían menos valiosas y se venderían mucho más baratas, porque ya todos estaríamos cansados de las piñas.

¿Qué es la inflación?

Has de pensar que **la inflación** es algo parecido a lo que el chavo de la esquina hace con los globos que vende. Si así fuera, sería muy fácil entender lo que este término significa, pero como la inflación no tiene nada que ver con inflar globos, te voy a explicar su significado, ya que esta palabra puede confundir a tus hermanos más grandes o hasta a tus papás.

Los precios también pueden cambiar sin necesidad de que la cantidad de bienes y servicios se modifique. Esto sucede **si las familias y las empresas de un país generan más dinero** del que había estado circulando antes. En consecuencia, se incrementaría su capacidad de gasto. Pero **si la producción de bienes y servicios del país se mantiene igual**, en lugar de aumentar, como la cantidad de dinero de la gente, **los precios tendrán que subir de forma sostenida y generalizada**, es decir, los precios aumentarán durante un largo periodo de tiempo.

En otras palabras, cuando hay más dinero en el país la gente quiere comprar más. Pero si la producción de bienes y servicios se mantiene igual, entonces no habría productos suficientes para satisfacer esta demanda y los precios tenderían a subir. A este incremento se le llama inflación. Por ejemplo, si a ti y a todos los niños de tu edad les dieran más del doble de domingo, todos saldrían corriendo a las tiendas para comprar muchos juguetes. Pero si las tiendas tuvieran la misma cantidad de juguetes que el domingo de la semana pasada, los establecimientos tendrían que subir sus precios para que los niños pagaran más por adquirir la misma cantidad de juguetes que solían obtener. Cuando esto sucede con los precios de todos los bienes y servicios que produce el país, se dice que el país está sufriendo una inflación.

¿Qué es el ahorro?

Es muy normal que cuando tienes dinero te den ganas de gastarlo. Pero también puedes **guardar ese dinero** en tu cochinito o mejor aún, en un banco, para que al ir acumulando lo que te sobra puedas juntar más dinero.

Si decides guardar tu dinero en lugar de gastarlo, estás ahorrando. Seguramente eso ya lo sabías, pero ¿sabías que si ahorras tu dinero en un banco, éste te da intereses cada mes por el simple hecho de guardarlo ahí?

Los intereses son un porcentaje de la suma total del dinero que tienes ahorrado, que se agrega cada mes a tu ahorro. Es como si el banco premiara tu decisión de ahorrar al darte una cantidad de dinero al mes. **Mientras más ahorres, más dinero te da el banco.**

Los bancos reciben el dinero de las personas, empresas e instituciones que quieren ahorrar. Pero no se quedan con el dinero, sino que se lo prestan a las personas que lo necesitan. Esto no quiere decir que los bancos entreguen tu dinero y entonces tengas menos dinero ahorrado, sino que los bancos realizan préstamos. El que pide un préstamo se compromete a pagar esta cantidad en cierto tiempo y a sumarle los intereses fijados por el banco. Así tu dinero no se verá afectado. Con los intereses que pagan los que piden prestado, el banco tendrá dinero para premiar a los ahorradores.

Los bancos son el intermediario entre los que quieren ahorrar su dinero y los que lo piden prestado. Por eso, entre más ahorradores existan en los bancos, habrán más recursos disponibles para los que quieren pedir dinero prestado. **El ahorro estimula la actividad económica y ayuda al crecimiento económico de un país.**

¿Qué es un banco central?

Un banco central es el banco de todos los bancos. Sus clientes no son personas ni empresas particulares, sino todos los bancos que existen en el país.

El Banco de México es el banco central de nuestro país. Es un **organismo autónomo**, es decir que no depende del gobierno. Fue fundado el 1° de septiembre de 1925 durante el gobierno del presidente Plutarco Elías Calles, y su primer director fue Manuel Gómez Morín. Es el único banco que puede **emitir la moneda mexicana**, por eso tiene la facultad de proveer las monedas y los billetes a toda la economía del país. En pocas palabras, se encarga de **distribuir el dinero a toda la República mexicana**.

Asimismo, el banco central debe asegurar que los precios se mantengan estables y que los individuos puedan seguir satisfaciendo sus necesidades con el dinero que ganan.

Es como un guardián que vigila día y noche que todo funcione bien en la economía de nuestro país. Una de las maneras en que contribuye al desarrollo del país es controlando la inflación.

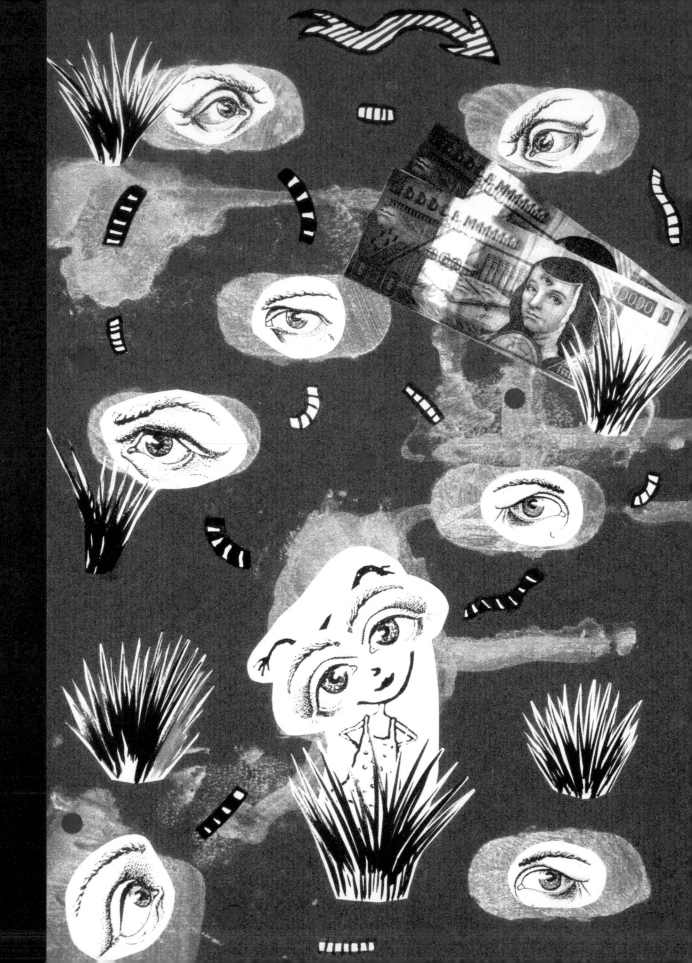

¿Cómo saber si un billete es falso?

Desde la aparición de los billetes hubo personas que buscaron la manera de falsificarlos para obtener dinero sin trabajar o vender algo legalmente. Esta actividad era de esperarse, ya que a fin de cuentas un billete era sólo un papel impreso. Entonces los maleantes sólo necesitaban una imprenta y robar el papel moneda del que estaban hechos los billetes para falsificarlos. Por esta razón, el Banco de México fue agregando **elementos de seguridad** a los billetes, para hacer que la labor de falsificación fuera muy complicada y, hoy día, casi imposible.

Lamentablemente aún circulan billetes falsos por todo el país, así es que busca un billete para que comprobemos juntos si es falso o no.

Para empezar, en la cara principal del billete dice "Banco de México". Si pasas tu dedo por encima de esas letras percibirás que **están ligeramente en relieve** respecto del resto del billete. Si tu billete es nuevo, el relieve es más evidente.

Otra forma de encontrar los elementos de seguridad es **poner tu billete a contraluz**, ya que así podrás ver que tiene un **hilo de seguridad** que está dentro del papel del billete y que lo atraviesa verticalmente. Es importante que notes que en este hilo está marcado el valor de tu billete.

En la llamada **marca de luz** puedes observar una representación del personaje que ilustra la cara principal, pero más pequeña y sólo se puede ver a contraluz. Ándale, búscalo bien porque está muy escondido.

Los fondos de un billete se imprimen **al menos** con **once colores diferentes**, algunos de los cuales son fluorescentes. Esto, junto con el **extremo detalle** en los motivos principales, es imposible de fotocopiar. Y por eso son también marcas de seguridad.

La siguiente marca es la más difícil de percibir. Todos los billetes tienen en ambas caras **figuras incompletas que se unen perfectamente al observarse a contraluz**, formando así el signo del valor de tu billete. Tienes que ser muy observador para encontrarlo.

Los billetes más recientes están hechos de polímero, por eso se sienten distintos al tocarlos. Pero tienen más elementos de seguridad, como el **área transparente** de contorno blanco que forma **pequeñas ventanitas**. Dentro de estas ventanitas está impreso con relieve el valor del billete.

Si te quedan dudas acerca de esto, puedes visitar la página *web* del Banco de México y ver con imágenes todos los pequeños detalles de seguridad de los billetes.